Barbecue

© 2006 Éditions de la Seine
pour la présente édition
© Allegrio, Olen, Belgique
www.yoyo-books.com
© Food Editore pour l'édition d'origine
Tous droits réservés
Traduction en français: J. Zoratti
Imprimé en Chine

Sommaire

Techniques de base

UNE CUISINE POUR L'ÉTÉ

Dès les beaux jours, et à fortiori en plein été, l'organisation d'un barbecue en famille ou entre amis est toujours un moment très agréable. Les personnes qui disposent d'une grande terrasse, d'un jardin ou qui habitent à la campagne ne rencontrent aucun problème et peuvent vraiment donner libre cours à leur imagination, en s'offrant la possibilité d'un repas ou d'un dîner loin des chaleurs étouffantes de nos intérieurs.

Une grillade, c'est non seulement le charme de la cuisine en plein air, mais aussi la saveur agréable des aliments cuits avec simplicité, agrémentés de quelques ingrédients de base : huile d'olive extra-vierge, herbes aromatiques, épices, sel et poivre. Ce mode de cuisson exalte les arômes, de sorte que les viandes, poissons, légumes et fromages conservent leur saveur originelle jusque dans l'assiette…

Faire un barbecue ne signifie pas perte de la créativité et de la fantaisie ! À l'aide d'une grille, de produits et de recettes appropriés, et en profitant des très nombreuses variantes possibles, il est en effet possible de créer des plats surprenants et originaux.

Enfin, même si cette idée n'est pas guère répandue, sachez qu'il est possible de pratiquer des grillades toute l'année, hiver y compris, et ce grâce aux barbecues électriques, pratiques et propres. Toutefois, la grillade ou le barbecue sont surtout conseillés durant la période estivale et à l'extérieur.

MODES DE CUISSON

La plupart des gens se cantonnent à des habitudes élémentaires et oublient qu'un barbecue permet de nombreuses possibilités de cuisson, qui sont très souvent sous-estimées voire ignorées. La grillade d'un bon morceau de viande, d'un poisson ou d'un légume n'en est qu'une parmi bien d'autres !

Par exemple, peu de personnes utilisent cette méthode à la fois raffinée et délicate qu'est la cuisson dans les braises : celle-ci se montre parfaitement adaptée à certains types de légumes. Bien entendu, elle nécessite que l'aliment soit enveloppé d'aluminium.

La cuisson à la broche est, également, assez peu plébiscitée chez nous. Les

Argentins, en revanche, sont passés maîtres dans cet art : ils cuisent leur *asado* (rôti) sur de grandes broches, inclinées d'une certaine manière pour que le gras retombe sur la viande elle-même, venant ainsi l'enrichir. Sans forcément atteindre cette maîtrise, nous pouvons toutefois cuire à la broche de grandes pièces de viande ou de gros poissons, notamment à l'aide de broches tournantes spécifiques qui peuvent s'adapter sur nos habituels barbecues de jardin.

En ce qui concerne nos classiques brochettes, le principe est identique, même si l'ensemble se révèle nettement moins contraignant : dans la cuisson à la broche, il est important de bien enfiler les aliments sur le fer, afin d'éviter que ceux-ci, en tournant, ne se détachent et ne tombent sur la grille. Pour les brochettes, il faut simplement respecter quelques conseils : choisir des baguettes en bois, plus longues que la grille pour qu'elles ne brûlent pas ; faire préalablement mariner (par exemple, dans du vin, des herbes, des épices et du vinaigre) les différents morceaux de viande ; alterner viande, légumes et herbes aromatiques, afin que le contact entre eux crée des mélanges de goûts agréables et que vos préparations soient colorées et originales.

La grille peut également être employée pour frire. Il suffit de l'utiliser comme une cuisinière… La friture en plein air présente un avantage inégalable : elle évite que l'odeur n'imprègne votre maison. C'est donc une idée à ne pas sous-estimer en été ! Une combinaison mixte est bien sûr possible : d'abord la grille sert à un barbecue ordinaire et, dans un second temps, elle est employée pour une friture de mer croquante ou pour de légers beignets de légumes, à marier (éventuellement comme garniture) avec

un beau steak. Ne jamais oublier que la grille sous la casserole ou la « friteuse » devra être très chaude.

Évidemment, les méthodes les plus classiques sont les plus répandues : la cuisson traditionnelle sur la grille et le rôtissage. En ce qui concerne la première, il suffit de suivre les temps et les méthodes de cuisson indiqués dans chaque recette. Et de se souvenir de quelques simples astuces : ne jamais saler la viande durant la cuisson, mais hors du feu ; cuire des morceaux pas trop épais ; utiliser un pinceau ou un brin de romarin pour enduire la viande, le poisson ou les légumes d'assaisonnement (il faut en effet éviter de verser directement les huiles, marinades, etc., sur les mets, parce que si elles coulent sur les braises, cela provoque de mauvaises odeurs).

En ce qui concerne le rôtissage, il est préférable de réserver ce mode de cuisson à de gros morceaux, en les retournant souvent pour favoriser une cuisson uniforme et homogène.

Il reste un détail important à envisager : l'allumage du barbecue. Quel que soit le mode de cuisson utilisé, rappelez-vous de ne jamais utiliser comme combustible – même si cela semble logique – de l'essence et d'autres produits similaires. Pour le « démarrage » de votre barbecue, il existe des combustibles *ad hoc*, qui vous permettront de ne pas dénaturer la saveur des aliments. En effet, il serait dommage de gâcher un excellent morceau de viande ou un magnifique poisson par négligence ou laxisme. Tous ces produits « spécialisés » que vous pouvez acheter dans les magasins d'articles ménagers ou dans les quincailleries sont pratiques et recommandables. De plus, en utilisant ces substances neutres, de nouvelles possibilités liées à l'utilisation d'essences aromatiques spéciales et d'herbes à répandre sur le charbon de bois s'offrent à vous. Leur parfum se transmettra aux aliments cuits sur la grille, ce qui leur conférera une note de plus, discrète mais persistante.

Le barbecue doit être allumé en répandant, tout d'abord, sur le fond une faible quantité de combustible arrosé du liquide inflammable ; il faut ensuite couvrir d'une nouvelle couche de combustible et, quand le feu « prend », répandre le charbon de bois et, si nécessaire, en ajouter une seconde fois.

TEMPS DE CUISSON

Ils sont fondamentaux pour un barbecue réussi. Quatre facteurs sont à prendre en compte, en plus du combustible utilisé et du type de chaleur qu'il est capable de dégager.

Premièrement, il est évident que les temps de cuisson varient selon l'intensité du feu. Par exemple, un simple hamburger peut être prêt en 10 minutes environ, mais si la grille n'est pas assez chaude la durée va augmenter considérablement.

Deuxièmement, la proximité des braises va favoriser une cuisson plus ou moins rapide.

Troisièmement, le type de viande utilisé va également jouer son rôle. Prenons le traditionnel steak de bœuf : il est évident qu'il doit toujours être coupé suffisamment épais et cuit à feu vif. Cependant, la viande doit aussi être de premier choix : un bon steak doit toujours présenter des nervures de gras, qui indiquent une bonne qualité et favorisent sa cuisson. Enfin, bien entendu, le dernier élément est le temps réel de cuisson nécessaire à l'obtention du résultat que l'on souhaite... Il est clair qu'un morceau est « saignant » en un peu plus de 5 minutes, alors qu'un steak « bien cuit » peut demander 20 minutes. Évidemment, ce sont les rôtis qui nécessitent le plus de temps, parce qu'il s'agit le plus souvent de très gros morceaux de viande ou de poisson. Dans ce cas, on ne parle plus en minutes, mais en heures... C'est aussi tout simplement parce qu'un rôti doit être cuisiné à feu doux : il faut éviter que la viande (au cas où le feu serait trop vif) ne cuise qu'à l'extérieur et reste crue à l'intérieur. En effet, si l'on peut se contenter de « saisir » une côte de bœuf ou une entrecôte, cela ne peut évidemment pas convenir à un gros morceau de porc ou d'agneau.

LES BONS INSTRUMENTS

Il reste une question fondamentale : pour quel barbecue opter ? Il en existe réellement de tous types, et le choix du matériel dépend vraiment de vos goûts et de vos besoins.

Les barbecues électriques sont pratiques, mais surtout conseillés si vous désirez les utiliser à l'intérieur également. Dans le même but, il existe des plaques ou poêles spéciales, à utiliser sur votre cuisinière normale. La préparation perdra évidemment en charme, mais aussi en goût et en arôme...

Les « barbecues fixes » sont très à la mode et très « classe » : nombreux sont ceux qui envient celui voisin... Il s'agit, en réalité, d'une simple grille placée entre trois murs, aux dimensions variables. Les qualités de ce type de barbecue sont incontestables : commodité, style et, pour ceux qui sont dotés d'une cheminée, diminution considérable des fumées indésirables (elles sont en effet relâchées vers le haut et pas dans le jardin ou sur les convives). Lorsqu'on décide d'investir dans cette construction, il faut toujours la placer à l'abri du vent, pas trop près de la maison et prévoir un grand espace de mouvement.

À l'opposé du barbecue en pierre, on trouve le « barbecue portable », qui est d'une certaine façon un « incontournable » de votre été gastronomique. Il permet de se déplacer aisément avec son matériel, et ainsi d'improviser des grillades à volonté. Il est toutefois indispensable de ne jamais négliger les règles élémentaires de sécurité : éviter d'allumer le feu dans des lieux à risque ; bien véri-

fier la stabilité du support ; l'éloigner des convives, afin que la fumée ne les incommode pas, mais sans excès, malgré tout, de manière à toujours pouvoir le surveiller.

Il existe, sur le marché, des barbecues portables de très bonne qualité et très pratiques. Toutefois, pour ceux qui ne font pas des grillades le *leitmotiv* de leur été, les barbecues plus modestes et moins chers conviendront également très bien et rempliront parfaitement la fonction de vous fournir un repas savoureux. Dans ce cas, le vrai secret réside davantage dans la qualité des aliments et dans l'art du « chef » que dans les ustensiles !

HERBES AROMATIQUES ET AUTRES ASSAISONNEMENTS

Les herbes et épices

Avec les ingrédients de base, les herbes aromatiques et les épices sont les maîtres des barbecues. En effet, ils parfument viandes, poissons, fromages et légumes avec discrétion.

L'ail est sans aucun doute le roi des grillades, même s'il doit être utilisé avec modération pour ne pas couvrir les saveurs originelles. Les vertus de l'ail sont connues : bactéricide, antiseptique et, en plus, riche en vitamines. Il est très utilisé avec le poisson et les rôtis, ou pour aromatiser l'huile d'olive.

Le laurier est également un « *must* ». Ses feuilles sont idéales pour aromatiser la viande. Il est parfait pour les brochettes, dans lesquelles il peut aussi être inséré durant la cuisson.

Le genièvre, généralement sous forme de baies séchées, est un compagnon idéal pour la grillade. Mais il doit être utilisé avec beaucoup de modération, tou-

jours pour ne pas couvrir les saveurs de base du plat, car son goût est assez intense. Le genièvre s'utilise également pour faire mariner la viande, surtout le gibier à poils.

Les brins de myrte, qui doivent être placés dans les braises pour parfumer viande, poisson, légumes ou tranches de fromage durant la cuisson, sont surtout associés à l'agneau et au porc.

Le poivre est bien entendu un incontournable : il épice avec simplicité n'importe quel rôti ou grillade. Il est à nouveau recommandé de ne pas en abuser et de se souvenir de ne pas poivrer (ni saler) durant la cuisson.

Les brins de romarin (fleurs et feuilles), comme nous l'avons déjà signalé, peuvent être utilisés comme « pinceaux » pour badigeonner d'assaisonnements les aliments à cuire. Son arôme typique est essentiel à la plupart des grillades.

Les sauces

Certaines sauces sont les compagnes habituelles et essentielles des grillades.

Aïolli

Cette sauce provençale à l'ail est parfaite pour les viandes grillées.

Ingrédients pour 4 personnes

4 gousses d'ail
200 ml de lait
5 cuillères d'huile d'olive extra-vierge
Gros sel

Préparation

1 Peler les gousses d'ail et enlever le germe interne (l'ail n'en sera que plus digeste).
2 Chauffer le lait et y faire bouillir l'ail durant 10 minutes environ.
3 Retirer les gousses, les égoutter et les placer dans un mortier avec du gros sel. Les écraser longuement à l'aide du pilon jusqu'à obtention d'une pâte ; ajouter l'huile d'olive petit à petit, en mélangeant pour rendre la sauce bien homogène.

Citronnette

Cette sauce, parfaite pour les marinades, est également idéale avec de nombreux poissons ou viandes grillés.
Choisissez les différentes herbes aromatiques que vous y ajouterez en fonction du mets à cuire : l'aneth ou le fenouil sont particulièrement indiqués pour le poisson ; la sauge et le romarin sont, quant à eux, conseillés pour les viandes (surtout blanches).

Ingrédients pour 4 personnes

1 citron
8 cuillères d'huile d'olive extra-vierge
Des herbes aromatiques au choix (thym, sauge, laurier, marjolaine)
Sel et poivre

Préparation

1 Presser le citron et en filtrer le jus. Ajouter le sel et le laisser fondre complètement.
2 Ajouter l'huile d'olive extra-vierge et bien émulsionner en battant avec une fourchette ou avec un petit fouet.
3 Hacher les herbes aromatiques sélectionnées et les ajouter à la citronnette pour la parfumer.

Sauce piquante aux tomates

Voici une sauce particulièrement indiquée pour les différentes fritures et, surtout, pour les viandes grillées. Comme elle est très relevée, elle doit être utilisée en petites quantités, pour ne pas masquer les saveurs initiales des produits.

Ingrédients pour 4 personnes

300 g de coulis de tomates
1 piment rouge doux
4 cuillères d'huile d'olive extra-vierge
1 gousse d'ail
1 cuillerée de sucre
Sel et poivre

Préparation

1 Ouvrir le piment, l'épépiner, en ôter le bout, et le hacher finement. Le faire revenir doucement avec l'huile d'olive dans une poêle anti-adhésive. Parfumer ce mélange avec l'ail pelé et écrasé.

2 Verser le coulis de tomates et le sucre, cuire à feu doux durant 10 minutes et ajuster l'assaisonnement.

3 Laisser refroidir le mélange, ôter l'ail et passer au mixer pour rendre la sauce homogène et lisse.

Sauce ketchup

La recette, pour concocter soi-même une sauce qui ne doit plus être présentée.

Ingrédients pour 4 personnes

350 g de tomates mûres
1 oignon
1 branche de céleri
1 carotte
1 gousse d'ail
3 cuillères d'huile d'olive extra-vierge
1 verre de vinaigre
1 cuillerée de moutarde
1 cuillerée de cannelle
1 cuillerée de cognac
Laurier
Sel et poivre

Préparation

1 Hacher l'oignon, la carotte, le céleri et l'ail. Faire rissoler rapidement le tout avec un filet d'huile et ajouter les tomates pelées. Mélanger et laisser cuire durant 20 minutes environ, à feu modéré.

2 Ajouter le vinaigre, le laurier, la moutarde et la cannelle, en mélangeant souvent et en prolongeant la cuisson de 15 minutes.

3 Mixer finement le tout, saler et poivrer, puis incorporer le cognac.

4 Bien mélanger et laisser refroidir.

Légumes et fromages

Une bonne grillade fait ressortir
la saveur des légumes
aux couleurs variées et
des fromages forts en goût.
Des recettes simples pour
apporter goût et santé dans
votre assiette.

Poivrons marinés à la menthe

Ingrédients pour 4 personnes

1 poivron rouge
1 poivron jaune
10 feuilles de menthe
5 cuillères d'huile d'olive extra-vierge
1 citron non traité
1 gousse d'ail
Sel et poivre

Préparation : 20 minutes
Cuisson : 15 minutes
Niveau de difficulté : facile

1. Laver les poivrons et les couper en 2. Les épépiner et en ôter les filaments blancs. Les couper à nouveau en deux et les griller, à 6 cm des braises, pendant 6 minutes environ du côté de la peau et pendant 4 minutes du côté de la chair.
2. Les laisser refroidir 15 minutes, dans un sachet en plastique : cela permettra à la peau de se détacher beaucoup plus facilement.
3. Entre-temps, piler la menthe avec l'huile d'olive, un peu de sel et de poivre.
4. Peler et découper les poivrons en julienne, les placer dans un saladier et les arroser de l'huile à la menthe, parfumée également avec le zeste du citron.
5. Ajouter l'ail émincé et laisser mariner pendant 4 heures, le tout couvert d'un film en plastique, dans un endroit frais.
6. Ôter l'ail et servir.

Tomates grillées à l'huile aromatisée au thym

Ingrédients pour 4 personnes

8 tomates rouges, mûres et fermes
2 branches de thym citronné
4 cuillères d'huile d'olive extra-vierge
2 gousses d'ail
Poivre

Préparation : 20 minutes
Cuisson : 15 minutes
Niveau de difficulté : facile

1 Faire chauffer l'huile d'olive dans une petite casserole avec le thym et
   l'ail, sans atteindre des températures élevées ; laisser infuser et refroidir.
2 Laver les tomates et les couper en deux, les saupoudrer légèrement de
   gros sel afin de les faire dégorger.
3 Les faire griller à 5 cm de la braise, en commençant par le côté de la
   pulpe et en les retournant après 6 minutes environ. Les éloigner
   légèrement du centre du barbecue et poursuivre la cuisson pendant 3 à
   4 minutes.
4 Les disposer sur un plat, arroser avec l'huile aromatisée au thym et à l'ail
   et rectifier l'assaisonnement.
5 Attendre 5 minutes avant de servir, afin que les parfums s'imprègnent
   bien.

Courge grillée à la pancetta croustillante et aux pistaches

Ingrédients pour 4 personnes

600 g de courge
1 tranche de *pancetta* de 140 g
50 g de pistaches non salées
1 brin de romarin
Sel et poivre

Préparation : 10 minutes
Cuisson : 20 minutes
Niveau de difficulté : facile

1 Peler et épépiner la courge, couper la chair en tranches d'une épaisseur de 3 mm.
2 Les placer sur la grille et les faire cuire durant 8 minutes de chaque côté (veiller à ne pas les laisser brûler).
3 Pendant ce temps, couper la *pancetta* en petits dés et la faire rissoler dans une poêle anti-adhésive à feu vif pour la dégraisser et la rendre croquante. Ajouter le romarin.
4 Hacher les pistaches décortiquées à l'aide d'un couteau.
5 Placer les morceaux de courge sur les assiettes et coiffer de *pancetta* croustillante et de pistaches émincées.
6 Rectifier l'assaisonnement et servir.

Une idée en plus : vous pouvez également assaisonner la courge grillée avec un peu de vinaigre balsamique et de miel.

Brochettes de pommes de terre nouvelles et sauce au gorgonzola

Ingrédients pour 4 personnes

20 pommes de terre nouvelles
1 oignon
150 g de *gorgonzola* tendre et piquant
50 ml de lait entier
1 noix de beurre
Noix de muscade
Sel et poivre

Préparation : 20 minutes
Cuisson : 30 minutes
Niveau de difficulté : facile

1   Laver soigneusement les pommes de terre nouvelles et les sécher avec un torchon. Les cuire dans de l'eau salée et les égoutter dès qu'elles sont tendres au centre mais encore fermes et compactes. Les mettre à refroidir directement dans de l'eau glacée.
2   Couper l'oignon en 4, séparer chaque pelure (couche), les ébouillanter pendant 1 minute et bien les égoutter.
3   Enfiler les pommes de terre sur des brochettes en bois (si elles sont grosses, les couper en 2) en alternant avec des morceaux d'oignon.
4   Griller les brochettes pendant 5 minutes de chaque côté, à 8 cm de la braise ; les placer sur les assiettes, puis saler et poivrer à volonté.
5   Pendant ce temps, faire tiédir le lait, ajouter le *gorgonzola* coupé en morceaux, la noix de muscade et laisser fondre hors du feu en mélangeant souvent avec une fourchette. Passer au mixer en ajoutant une noix de beurre préalablement sorti du réfrigérateur.
6   Napper chaque brochette de cette sauce au fromage.

Bruschetta aux tomates grillées et à l'ail

Ingrédients pour 4 personnes

8 tranches de pain de ménage
5-6 tomates bien mûres
1 gousse d'ail
10 feuilles de basilic
3 cuillères d'huile d'olive extra-vierge
Sel et poivre

Préparation : 10 minutes
Cuisson : 5 minutes
Niveau de difficulté : facile

1. Laver les tomates et les couper en rondelles épaisses. Peler l'ail et l'émincer, puis en placer une fine couche sur chaque tranche de tomate. Saler et poivrer légèrement.
2. Faire griller les rondelles de tomates pendant 1 minute de chaque côté, à 5 cm de la braise ; déposer une feuille de basilic sur la face déjà braisée.
3. Placer le pain sur le barbecue et, dès qu'il est grillé, y déposer les rondelles de tomate au basilic et à l'ail.
4. Arroser la *bruschetta* d'huile d'olive et servir aussitôt.

Hamburgers de pommes de terre et chou frisé à l'aneth

Ingrédients pour 4 personnes

2 pommes de terre à chair jaune
2 carottes
¼ de chou frisé
1 gousse d'ail
1 échalote
1 noix de beurre
2 cuillères d'huile d'olive extra-vierge
1 cuillère de mayonnaise au yoghourt
1 œuf
1 cuillère de chapelure
1 cuillère de parmesan râpé
1 petit bouquet d'aneth
Sel et poivre

Préparation : 20 minutes
Cuisson : 15 minutes
Niveau de difficulté : facile

1 Cuire les pommes de terre dans de l'eau salée et les égoutter dès qu'elles sont tendres au centre.
2 Pendant ce temps, peler les carottes et les couper en salpicon ; faire revenir l'échalote dans une poêle avec le beurre et y faire suer les carottes pendant 5 minutes, en arrosant avec un peu d'eau chaude ; saler et poivrer à volonté.
3 Faire blondir l'ail en chemise, écrasé, dans une poêle anti-adhésive huilée. Ajouter le chou frisé coupé en julienne et le laisser rissoler jusqu'à ce qu'il devienne croquant pendant 5 à 6 minutes.
4 Ajouter les carottes et le chou frisé aux pommes de terre pelées et écrasées, incorporer l'œuf, le parmesan et la chapelure. Former des *hamburgers* à l'aide d'un emporte-pièce, puis les réserver au réfrigérateur.
5 Les mettre à griller pendant 2 minutes de chaque côté, à 8 cm de la braise ou directement sur une plaque en fonte placée sur le feu.
6 Servir accompagné de mayonnaise légère au yoghourt, parfumée avec l'aneth finement haché.

Roulades d'aubergine au parmesan et à la mozarella

Ingrédients pour 4 personnes

2 longues aubergines
3 tomates mûres et fermes
200 g de *mozzarella fior di latte*
10 feuilles de basilic
2 cuillères de parmesan râpé
3 cuillères d'huile d'olive extra-vierge
3 cuillères de chapelure

Préparation : 20 minutes
Cuisson : 10 minutes
Niveau de difficulté : facile

1 Enlever les extrémités des aubergines et couper ces dernières en tranches verticales d'une épaisseur d'½ cm. Les griller, éloignées des braises, jusqu'à ce qu'elles soient bien tendres au centre ; les laisser refroidir. Assaisonner de sel et de poivre.
2 Pendant ce temps, ébouillanter les tomates, puis les plonger directement dans de l'eau glacée, pour bloquer la cuisson. Les peler, les épépiner et couper la chair en 4 morceaux.
3 Couper la *mozzarella* en fines tranches et les passer dans la chapelure.
4 Disposer sur chaque tranche d'aubergine 1 quartier de tomate fraîche, 1 tranche de *mozzarella* panée et 1 feuille de basilic. Saupoudrer d'un tout petit peu de parmesan et enrouler le tout. Placer dans un plat en pyrex et enduire d'un peu d'huile d'olive. Enfourner pendant 5 minutes à 200°, puis servir immédiatement.

Endives grillées à l'huile de noix et carottes au cumin

Ingrédients pour 4 personnes

3 endives (chicons)
5 grandes carottes
10 noix
4 cuillères d'huile d'olive extra-vierge
1 pincée de cumin moulu
1 noix de beurre
Sel et poivre

Préparation : 20 minutes
Cuisson : 10 minutes
Niveau de difficulté : facile

1 Peler les carottes et les couper en cubes.
2 Enlever les 2 feuilles externes des endives et les couper en 6 morceaux, dans le sens de la longueur, en laissant les feuilles attachées à la base. Les ébouillanter durant 1 minute dans de l'eau légèrement salée, puis les égoutter sur du papier absorbant. Les faire griller à 8 cm de la braise en les retournant souvent pour ne pas les laisser brûler et les rendre trop amères.
3 Pendant ce temps, ébouillanter les carottes (elles doivent être *al dente*), puis les faire sauter dans une poêle avec un peu de beurre et le cumin. Saler et poivrer.
4 Dans une poêle, chauffer l'huile d'olive dans laquelle on aura mis les noix. Piler ce mélange dans un mortier puis laisser refroidir.
5 Placer les endives grillées sur les assiettes et assaisonner avec l'huile de noix grillées. Accompagner avec les carottes au cumin, ce qui créera un contraste entre le doux et l'amer.

Croquettes de ricotta et d'épinards

Ingrédients pour 4 personnes

300 g d'épinards
250 g de *ricotta*
2 cuillères de parmesan râpé
1 œuf
1 cuillère de chapelure
50 g de noix de cajou, finement hachées
Noix de muscade
Sel et poivre

Préparation : 15 minutes
Cuisson : 6 minutes
Niveau de difficulté : facile

1 Ébouillanter les épinards dans de l'eau salée et les égoutter. Bien les essorer, puis les laisser refroidir. Les hacher grossièrement au couteau et les ajouter à la *ricotta*. Assaisonner de sel, poivre et noix de muscade râpée. Travailler avec une cuillère pour homogénéiser, en ajoutant l'œuf, le parmesan et la chapelure pour lier.
2 Former des croquettes assez plates et les paner avec les noix de cajou pilées.
3 Les faire cuire au barbecue pendant 3 minutes de chaque côté afin de les rendre croquantes à l'extérieur et tendres à l'intérieur.
4 Servir aussitôt.

Aubergines grillées et marinées au cerfeuil

Ingrédients pour 4 personnes

2 longues aubergines
5 cuillères d'huile d'olive extra-vierge
2 gousses d'ail
1 piment rouge
Quelques feuilles de cerfeuil
Sel et poivre

Préparation : 25 minutes
Cuisson : 15 minutes
Niveau de difficulté : facile

1 Enlever les extrémités des aubergines, puis couper ces dernières en tranches épaisses et les saler. Les placer dans une passoire pour les faire dégorger, en les écrasant avec un couvercle.
2 Après 30 minutes, les laver et les sécher soigneusement avec du papier absorbant ou sur un torchon, et les faire griller.
3 Émincer l'ail, ou l'écraser si vous désirez un goût moins prononcé, et le laisser infuser avec le piment entier dans l'huile d'olive tiède sur le feu. Ajouter ensuite le cerfeuil haché.
4 Verser sur les aubergines, saler, poivrer et disposer dans un plat en pyrex ou dans une assiette profonde afin de que les tranches s'imprègnent de l'huile parfumée (elles ne doivent pas être noyées…). Laisser reposer 10 minutes et servir.

Roulades de courgettes grillées, pain et tomates séchées

Ingrédients pour 4 personnes

Pour les roulades de courgettes
4 grandes courgettes
3 tranches de pain de ménage
10 morceaux de tomates séchées à l'huile
2 cuillères d'huile d'olive extra-vierge
1 gousse d'ail
Sel et poivre

Pour garnir
150 g de *feta*

Préparation : 15 minutes
Cuisson : 10 minutes
Niveau de difficulté : facile

1 Laver les courgettes, enlever les extrémités, et ensuite couper les courgettes en tranches pas trop fines. Saler et poivrer légèrement.
2 Faire griller les tranches, éloignées des braises : elles doivent ramollir mais pas être trop cuites. Les laisser refroidir.
3 Faire griller les tranches de pain, les frotter avec un peu d'ail pelé et les couper en morceaux.
4 Envelopper le pain légèrement assaisonné d'huile d'olive dans les tranches de courgettes grillées.
5 Garnir avec les tomates, bien égouttées et séchées, et avec la *feta* coupée en dés.
6 Servir aussitôt.

Courgettes farcies au riz safrané et au pecorino

Ingrédients pour 4 personnes

8 grandes et longues courgettes
100 g de riz à *risotto*
50 g de beurre
1 capsule de safran en poudre
1 échalote
100 g de *pecorino* romain
1 cuillère d'huile d'olive extra-vierge
Bouillon de légumes
Sel et poivre

Préparation : 20 minutes
Cuisson : 30 minutes
Niveau de difficulté : facile

1 Hacher l'échalote et la faire suer dans une casserole avec le beurre, jusqu'à ce qu'elle devienne transparente. Ajouter le riz et le griller à feu vif durant 1 minute. Mouiller avec un peu de bouillon, et poursuivre la cuisson en ajoutant du bouillon bien chaud au fur et à mesure que le riz l'absorbe. Après 5 minutes, ajouter le safran pour colorer et parfumer, et ajuster l'assaisonnement.

2 En fin de cuisson, ajouter le *pecorino* râpé et laisser tiédir le riz pour qu'il reste *al dente*.

3 Laver et couper les extrémités des courgettes. Évider ces dernières à l'aide d'une cuillère et les ébouillanter pendant 3 minutes ou les cuire à la vapeur pendant 5 minutes. Les farcir de riz en tassant bien ; réserver au réfrigérateur.

4 Griller les courgettes, à 5 cm de la braise, pendant 3-4 minutes, pour leur donner de l'arôme et du caractère, puis arroser d'un filet d'huile d'olive.

5 Servir aussitôt.

Pecorino grillé, parfumé à la truffe

Ingrédients pour 4 personnes

4 tranches de *pecorino* siennois mi-vieux (épaisseur : environ ½ cm)
1 truffe noire
2 cuillères d'huile de truffe
Salade verte
Sel

Préparation : 10 minutes
Cuisson : 2 minutes
Niveau de difficulté : facile

1 Laver et essorer la salade, puis couper les feuilles en petits morceaux ;
   en disposer un lit sur les assiettes et saler légèrement.
2 Placer le *pecorino* sur la grille et le cuire jusqu'à l'apparition de stries et
   jusqu'à ce qu'il ramollisse. Le retourner et terminer la cuisson.
3 Déposer les tranches sur les assiettes de salade, parsemer de copeaux
   de truffe noire et assaisonner d'un filet d'huile de truffe dont l'arôme
   sera exalté par la chaleur du fromage.

Asagio pané aux noix grillées

Ingrédients pour 4 personnes

300 g d'*asagio* AOC
60 g de noix
1 cœur de salade verte
10 tomates cerises
3 cuillères d'huile d'olive extra-vierge
Sel

Préparation : 15 minutes
Cuisson : 2 minutes
Niveau de difficulté : facile

1 Faire griller les noix pelées durant quelques minutes dans une poêle anti-adhésive et les hacher au mixer dès qu'elles auront refroidi.
2 Couper l'*asagio* en tranches épaisses et ensuite en triangles.
3 Les passer dans les noix concassées en pressant bien pour qu'elles soient bien panées, ensuite les griller au barbecue.
4 Laver et essorer la salade, puis déchiqueter les feuilles en morceaux. Couper les tomates en 4. Disposer le tout sur les assiettes et assaisonner avec un peu de sel et d'huile d'olive.
5 Couvrir d'une tranche de fromage doré et bien croquant. Servir aussitôt.

Mozzarella en croûte et fleurs de courge

Ingrédients pour 4 personnes

Pour la *mozzarella* en croûte
2 *mozzarella fior di latte* (125 g chacune)
6 tranches de pain de mie
4 filets d'anchois à l'huile
1 œuf
2 courgettes
5 fleurs de courge
1 gousse d'ail
3 cuillères de chapelure
2 cuillères de lait
3 cuillères d'huile d'olive extra-vierge
Sel et poivre

Pour garnir
1 tomate

Préparation : 15 minutes
Cuisson : 5 minutes
Niveau de difficulté : facile

1 Enlever la croûte du pain ; mouiller la mie avec un peu de lait et la farcir avec de la *mozzarella* coupée en fines tranches et quelques morceaux de filets d'anchois à l'huile. Faire de petites boules bien pressées à la main.
2 Battre l'œuf avec un peu de sel et y tremper chacun des « pains ». Les égoutter de l'excédent et les paner.
3 Les faire griller éloignés de la braise.
4 Laver les courgettes, et après en avoir ôté les extrémités, les couper en julienne.
   Les faire sauter dans une poêle anti-adhésive avec l'huile d'olive et la gousse d'ail écrasée. Ensuite, ajouter les fleurs émincées.
5 Saler, poivrer et placer au centre des assiettes ; disposer tout autour les « beignets » de *mozzarella*.
6 Garnir de dés de tomate fraîche.

Ballotins d'aubergine farcis à la provola grillée

Ingrédients pour 4 personnes

350 g de *provola* douce
1 grande et longue aubergine
2 tomates
10 olives noires dénoyautées
3 cuillères d'huile d'olive extra-vierge
Basilic
Sel et poivre

Préparation : 15 minutes
Cuisson : 8 minutes
Niveau de difficulté : facile

1 Couper l'aubergine en fines tranches ; les griller éloignées de la braise :
   elles doivent être bien tendres au centre. Réserver.
2 Ôter la croûte de la *provola*, couper le fromage en cubes et le faire
   griller.
3 Enrouler chaque morceau de fromage dans une tranche d'aubergine :
   former des ballotins.
4 Placer dans un petit plat en pyrex et ajouter la tomate pelée, épépinée
   et coupée en dés, les olives noires et le basilic. Saler, poivrer et enfourner durant 5 minutes à 220°.
5 Servir arrosé d'un filet d'huile d'olive extra-vierge.

Brochettes de pecorino et de poires au miel et aux noix

Ingrédients pour 4 personnes

200 g de *pecorino* de Pienza
2 poires williams
2 cuillères de miel d'acacia
7-8 cerneaux de noix
Poivre

Préparation : 10 minutes
Cuisson : 2 minutes
Niveau de difficulté : facile

1 Laver les poires, les couper en quartiers puis détailler en morceaux.
2 Ôter la croûte du *pecorino* et le couper en dés.
3 Enfiler ces deux ingrédients, en alternance, sur des brochettes de bois. Poivrer.
4 Cuire les brochettes sur la grille (placée assez haut par rapport aux braises), pendant 30 secondes de chaque côté, puis les disposer sur les assiettes.
5 Napper avec un filet de miel d'acacia et parsemer de cerneaux de noix hachés grossièrement au couteau.

Tortillas grillées au tartare de fines herbes, d'avocat et de feta

Ingrédients pour 4 personnes

4 *tortillas* de maïs
1 petit oignon
8 tomates cerises
1 avocat mûr
150 g de *feta*
1 carotte
3 cuillères d'huile d'olive extra-vierge
½ citron
Salade verte ou frisée
Sel et poivre

Préparation : 10 minutes
Cuisson : 10 minutes
Niveau de difficulté : facile

1   Peler l'avocat et en détailler de petites billes à l'aide d'une cuillère, les arroser du jus du ½ citron et les réserver.
2   Couper la carotte (préalablement pelée) en julienne et la faire sauter dans une poêle avec un peu d'huile et le petit oignon en rondelles. Saler, poivrer. Ajouter l'avocat.
3   Farcir les *tortillas* de ce mélange et les cuire au barbecue.
4   Pendant ce temps, préparer la salade et l'assaisonner.
5   Dès que les *tortillas* sont prêtes, ajouter à la farce chaude les ingrédients froids : la salade, la *feta* et les tomates cerises.
6   Servir aussitôt, arrosé d'un filet d'huile.

Viandes

Pour l'été et bien d'autres
occasions, voici la reine
des grillades : la viande.
Des recettes faciles et rapides
pour vos repas en plein air,
en famille ou entre amis.

Poitrine de canard au chianti, accompagnée de crème au poireau et de cèpes

Ingrédients pour 4 personnes

1 poitrine de canard
200 ml de *chianti classico*
1 échalote
1 poireau
1 grosse pomme de terre à chair jaune
3 cèpes
1 gousse d'ail
3 cuillères d'huile d'olive extra-vierge
Bouillon de légumes léger ou eau chaude
Romarin
Sel et poivre

Préparation : 20 minutes
Cuisson : 45 minutes
Niveau de difficulté : facile

1 Taillader, en surface, la partie grasse du canard en diagonale, puis le faire mariner dans une terrine avec le vin, l'échalote hachée et les aiguilles de romarin.
2 Réserver au réfrigérateur pendant 8 heures.
3 Couper le poireau en rondelles et le faire suer dans une casserole avec l'huile et la pomme de terre en lamelles. Saler et couvrir de bouillon ou d'eau chaude. Cuire pendant 25 minutes, puis mixer jusqu'à l'obtention d'une crème.
4 Égoutter la viande de la marinade et bien la sécher, la placer sur la grille du côté du gras et laisser cuire pendant 7 minutes. Retourner et poursuivre la cuisson pendant 5 minutes : la viande doit rester rosée au centre.
5 Pendant ce temps, nettoyer les cèpes, les couper en morceaux et les faire sauter dans une poêle avec la gousse d'ail écrasée et l'huile.
6 Servir des tranches de canard sur un lit de crème au poireau et garnir de cèpes.
7 Vous pouvez faire réduire la marinade sur le feu et en napper délicatement la viande.

Rouleaux de porc et ananas à l'aigre-douce

Ingrédients pour 4 personnes

1 filet de porc (environ 450 g)
5 tranches de *pancetta* crue (pas séchée)
½ ananas bien mûr
2 gouttes de Tabasco
1 petit oignon nouveau
1 citron vert non traité
4 petites feuilles de menthe
1 cuillère de miel
Sel et poivre

Préparation : 20 minutes
Cuisson : 25 minutes
Niveau de difficulté : moyen

1 Inciser le filet de porc en 2, en l'ouvrant comme un livre, sans atteindre
   la planche avec le couteau. Faire de même en partant du centre des
   2 moitiés ouvertes afin d'obtenir de fines tranches d'environ 1,5 cm
   d'épaisseur. Saler, poivrer et y insérer les tranches de *pancetta*.
2 Enrouler et envelopper d'une feuille d'aluminium en serrant bien ;
   laisser reposer au réfrigérateur.
3 Transpercer le rouleau avec des brochettes en bois que l'on placera à
   3 cm l'une de l'autre. Couper le rôti entre les bâtonnets afin d'obtenir
   des rondelles enveloppées d'une bande de papier aluminium.
4 Couper la chair de l'ananas en dés. Lui adjoindre l'oignon finement
   haché assaisonné de Tabasco et la menthe ciselée. Faire mariner en
   ajoutant le miel, le jus de citron vert et un peu de zeste.
5 Griller les rouleaux de porc et les servir sur un lit d'ananas à l'aigre-
   douce.

Émincé de bœuf au soja, au sésame et aux légumes

Ingrédients pour 4 personnes

450 g de bœuf maigre coupé finement
2 grandes courgettes
2 carottes
6 feuilles de salade frisée
1 gousse d'ail
3 cuillères d'huile d'olive extra-vierge
2 cuillères de sauce au soja
2 cuillères de sésame
Sel et poivre

Préparation : 20 minutes
Cuisson : 15 minutes
Niveau de difficulté : moyen

1 Placer la viande sur un plateau, la badigeonner de sauce au soja et la saupoudrer de sésame.
2 Laver, essorer et déchiqueter la salade frisée.
3 Couper les courgettes et les carottes pelées en bâtonnets. Les faire sauter dans une poêle anti-adhésive avec l'huile d'olive et l'ail écrasé.
4 Faire griller la viande 2 minutes de chaque côté, puis l'émincer.
5 Placer les légumes sur les assiettes et les assaisonner légèrement. Disposer des portions de bœuf sur ce lit et servir.

Roulades de jambon au poulet, accompagnées de poivron doux et de feta

Ingrédients pour 4 personnes

1 poitrine de poulet
100 g de jambon cru doux
20 feuilles de sauge
1 gros poivron rouge
150 g de *feta*
2 cuillères d'huile d'olive extra-vierge
Sel et poivre

Préparation : 30 minutes
Cuisson : 25 minutes
Niveau de difficulté : facile

LE POULET
Il fait partie des viandes les plus consommées. La poitrine (le blanc) de poulet est particulièrement répandue grâce à sa facilité de cuisson et à son côté très pratique.

1 Laver le poivron et le couper en 2. Ensuite l'épépiner et ôter les filaments blancs. Le griller, à 6 cm des braises, pendant 7 minutes environ de chaque côté. Le laisser refroidir 15 minutes dans un sachet en plastique : cela permettra à la peau de se détacher beaucoup plus facilement.

2 Couper le blanc de poulet en petits rectangles, placer une feuille de sauge sur chacun d'eux puis les emballer dans des languettes de jambon.

3 Enfiler ces roulades sur des brochettes en acier et réserver.

4 Couper la *feta* en petits dés et les ajouter au poivron détaillé ; assaisonner d'un peu de sel, de poivre et d'huile d'olive.

5 Faire griller les brochettes et les servir accompagnées du salpicon de poivron et *feta*.

Côtelettes d'agneau à la menthe et au gingembre

Ingrédients pour 4 personnes

12 côtelettes d'agneau
10 feuilles de menthe
1 morceau de gingembre frais
1 gousse d'ail
1 brin de romarin
6 cuillères d'huile d'olive extra-vierge
Persil
Sel et poivre

Préparation : 15 minutes
Cuisson : 20 minutes
Niveau de difficulté : facile

1 Placer les feuilles de menthe, le romarin effeuillé et le persil sur une planche et hacher le tout grossièrement avec un couteau. Mettre dans un petit récipient avec l'huile, l'ail émincé, du sel et du poivre. Peler et râper le gingembre et presser la chair directement dans l'huile, en émulsionnant avec une fourchette.
2 Badigeonner les côtelettes de cette huile aromatisée, puis réserver au réfrigérateur pendant 10 minutes.
3 Faire griller la viande, saler, puis servir, au choix, sur un lit de salade ou accompagné de fines garnitures.

Ailes de poulet piquantes

Ingrédients pour 4 personnes

16 ailes de poulet
1 cuillerée d'ail et de piment moulus
1 pincée de *paprika*
Persil
Sel et poivre

Préparation : 15 minutes
Cuisson : 4 minutes
Niveau de difficulté : facile

1 Bien flamber les ailes de poulet et les laver pour éliminer l'éventuel reste de duvet.
2 Les saupoudrer du mélange d'ail et piment et du *paprika*. Saler, poivrer, accompagner du persil et réserver au réfrigérateur pendant 10 minutes pour que les arômes s'imprègnent bien.
3 Cuire les ailes sur la grille, assez près des braises pour que la peau soit croustillante, pendant environ 4 minutes de chaque côté, en les retournant 2 fois durant ce laps de temps.
4 Servir aussitôt, aussi bien comme amuse-bouche que comme entrée.

Côtelettes de porc au Tabasco accompagnées de maïs au beurre d'herbes

Ingrédients pour 4 personnes

16 côtelettes de porc
1 cuillère de Tabasco
2 cuillères d'huile d'olive extra-vierge
1 brin de romarin
1 verre de vin rouge
2 épis de maïs doux précuit
50 g de beurre salé
1 cuillère rase d'herbes aromatiques
Sel et poivre

Préparation : 20 minutes
Cuisson : 15 minutes
Niveau de difficulté : facile

1 Mélanger le Tabasco avec le vin, parfumer avec le romarin et verser sur les côtelettes ; les laisser mariner pendant 30 minutes au réfrigérateur.
2 Bien les égoutter et les sécher, les placer sur la grille, éloignées des braises afin que la chaleur indirecte fasse fondre le gras et aromatise la viande sans la brûler.
3 Travailler le beurre pour qu'il devienne crémeux et y incorporer les herbes aromatiques hachées ; l'enrouler en cylindre dans un morceau de papier huilé et réfrigérer.
4 Faire griller le maïs et le couper en rondelles.
5 Servir les côtelettes au Tabasco accompagnées du maïs parsemé de quelques copeaux de beurre aromatisé qui, en fondant, parfumera et donnera de la saveur au plat.

Filets de bœuf grillés à la sauce verte

Ingrédients pour 4 personnes

½ kg de filet maigre de bœuf
1 œuf
1 gousse d'ail
4 cuillères d'huile d'olive extra-vierge
Persil
Sel

Préparation : 15 minutes
Cuisson : 10 minutes
Niveau de difficulté : facile

LA VIANDE DE BŒUF

Jadis, le terme « bœuf » indiquait le bouvillon, à savoir le jeune bœuf castré entre 3 et 4 ans, ou la génisse, c'est-à-dire la jeune vache qui n'a pas encore vêlé. Aujourd'hui, les classifications de la viande bovine se résument à deux types : la viande de veau et la viande de bovin adulte. Le bœuf rentre dans la seconde catégorie. De toute façon, il s'agit d'une viande rouge, plus ou moins grasse.

1 Faire cuire l'œuf (dur) pendant 5 minutes dans de l'eau bouillante.
2 Pendant ce temps, couper le filet de bœuf en 4 médaillons et ficeler les bords pour maintenir le filet droit et compact durant la cuisson et ainsi garder le jus.
3 Écaler l'œuf, prélever le blanc et le mettre dans le mixer avec les feuilles de persil, l'ail pelé et sans le germe, le sel et l'huile. Mixer par saccades afin que la sauce reste grumeleuse et réserver.
4 Griller les médaillons pendant 3 minutes de chaque côté, tout en les laissant rosés et saignants à l'intérieur et les servir sur un petit lit de sauce verte.

Cuisses de poulet laquées à la moutarde et au citron

Ingrédients pour 4 personnes

8 cuisses de poulet
2 citrons
1 cuillerée de graines de moutarde
2 cuillères de moutarde douce
1 cuillère de miel
Sel et poivre

Préparation : 15 minutes
Cuisson : 15 minutes
Niveau de difficulté : facile

1 Ciseler les cuisses de poulet d'entailles diagonales peu profondes.
2 Mélanger la moutarde douce avec le jus des citrons, le miel, les graines de moutarde, le sel et le poivre.
3 Badigeonner les cuisses avec une partie de cette crème et les laisser mariner pendant environ 1 heure au réfrigérateur.
4 Faire griller les cuisses de poulet en les retournant souvent et, presque en fin de cuisson, les badigeonner de nouveau avec le reste de marinade.
5 Les servir aussitôt, bien chaudes, croustillantes à l'extérieur et tendres à l'intérieur.

Une curiosité : la plante de moutarde est originaire du bassin méditerranéen et est connue depuis des temps immémoriaux. Deux espèces sont principalement cultivées ; elles donnent des fruits identiques : des petites cosses noires-brunes ou blanches-jaunâtres. En cuisine, on utilise le condiment en crème ou en poudre : il provient des graines moulues. Ces mêmes graines sont également utilisées et ont un goût très relevé.

Brochettes de poulet aux pistaches

Ingrédients pour 4 personnes

1 poitrine de poulet (pour le blanc)
2 tomates rouges
100 g de pistaches
1 blanc d'œuf
3 cuillères d'huile d'olive extra-vierge
8 brins de romarin
½ citron
Basilic
Sel et poivre

Préparation : 15 minutes
Cuisson : 5 minutes
Niveau de difficulté : facile

1 Ébouillanter les tomates dans de l'eau salée et les égoutter sous un jet d'eau glacée, afin de les peler facilement. Les couper en 4 et les épépiner, puis réserver la chair au réfrigérateur.
2 Couper le poulet en petits morceaux, en passer les ⅔ dans le blanc d'œuf battu avec un peu de sel, puis dans les pistaches préalablement hachées.
3 Alterner les morceaux de poulet panés et nature, les quartiers de tomate et quelques feuilles de basilic sur des brochettes en bois, en aromatisant de romarin.
4 Passer les brochettes au barbecue pendant 1 minute de chaque côté, en les retournant des 4 côtés.
5 Assaisonner d'un filet d'huile d'olive et de jus de citron, puis servir.

Filets de porc au poivre créole
et au beurre de cacahouètes

Ingrédients pour 4 personnes

4 filets de porc
1 cuillerée rase de poivre créole (ou mélange de poivre blanc, rose, vert et noir)
1 pincée d'ail en poudre
2 cuillères de beurre de cacahouètes
Sel

Préparation : 15 minutes
Cuisson : 15 minutes
Niveau de difficulté : facile

1 Saler et poivrer généreusement la viande, la saupoudrer d'ail, puis la faire griller, pas trop près des braises. Retourner une seule fois.
2 Servir dans les assiettes, en étalant du beurre de cacahouètes au centre des filets afin de le laisser fondre légèrement et ainsi de créer un contraste chaud-froid.

Une curiosité : ce beurre en pot est un produit typiquement américain, très répandu et consommé aux États-Unis. Il est obtenu avec des arachides et, le plus souvent, il est tartiné sur des sandwichs ou toasts ; il sert aussi à parfumer des viandes.

Lapin pané au thym

Ingrédients pour 4 personnes

2 râbles de lapin (650 g chacun)
150 g de chapelure
2 branches de thym
1 citron
5 cuillères d'huile d'olive extra-vierge
Sel et poivre

Préparation : 20 minutes
Cuisson : 15 minutes
Niveau de difficulté : facile

1. Couper les râbles de lapin en médaillons d'une épaisseur de 2 cm et les placer dans une terrine. Enduire d'un peu d'huile et de citron pressé. Bien amalgamer pour parfumer ; saler et poivrer. Laisser reposer 30 minutes, puis égoutter.
2. Passer les médaillons dans la chapelure, aromatisée des feuilles de thym hachées, et les mettre à griller bien éloignées des braises, en les retournant souvent.
3. Les retirer de la grille quand on peut désosser sans qu'aucun filament rosé ne se voie.

Filet de sanglier aux câpres et aux olives

Ingrédients pour 4 personnes

1 filet de sanglier bien paré (environ ½ kg)
15 câpres dessalées
10 câprons
1 tomate
10 olives noires
3 cuillères d'huile d'olive extra-vierge
Sel et poivre

Préparation : 20 minutes
Cuisson : 15 minutes
Niveau de difficulté : facile

1 Inciser le filet en une entaille profonde de 3 cm et aromatiser le centre d'un hachis de câpres et d'un peu de poivre. Fermer et ficeler en serrant bien.
2 Saler et poivrer l'extérieur et faire griller en retournant la viande continuellement.
3 Après 6 minutes, placer le filet dans un plat à rôti avec l'huile, les olives égouttées et lavées. Ajouter la tomate épépinée et coupée en morceaux et les câprons.
4 Enfourner pendant 7 minutes à 200° et servir.

Roulades de jambon et d'aubergines

Ingrédients pour 4 personnes

150 g de jambon cru
2 aubergines
2 *mozzarella fior di latte*
Huile d'olive extra-vierge
Sel et poivre

Préparation : 20 minutes
Cuisson : 10 minutes
Niveau de difficulté : facile

1 Couper les aubergines en fines tranches, les saler et les laisser dégorger dans une passoire. Les sécher et les faire griller quelques minutes de chaque côté. Les enduire d'un filet d'huile d'olive et rectifier l'assaisonnement.
2 Couper la *mozzarella* en bâtonnets épais, puis disposer une tranche d'aubergine et quelques morceaux de fromage sur chaque tranche de jambon. Enrouler et fermer à l'aide de cure-dents.

Brochettes à la paysanne

Ingrédients pour 4 personnes

4 saucisses toscanes
3 tranches épaisses de pain de ménage
½ poivron rouge
½ poivron jaune
2 cuillères d'huile d'olive extra-vierge
Sel et poivre

Préparation : 10 minutes
Cuisson : 10 minutes
Niveau de difficulté : facile

1 Couper les poivrons en 2, les épépiner et ôter les filaments internes.
   Les couper en lanières pas trop fines et d'une épaisseur de 3 cm.
2 Couper le pain et les saucisses en dés et enfiler tous les ingrédients sur
   des brochettes en bois.
3 Cuire les brochettes sur la grille à feu doux, afin de faire dégraisser
   la viande et d'aromatiser le pain. Les retourner plusieurs fois et les saler
   légèrement.
4 Assaisonner les brochettes à la paysanne d'un filet d'huile d'olive extra-
   vierge, d'une pincée de sel, de poivre et servir.

Poissons

Sardines, sèches et crustacés
préparés avec simplicité, sans
graisses ajoutées, pour savourer
pleinement les poissons ou
les fruits de mer.

Salade de poulpe grillé aux lentilles et pommes de terre

Ingrédients pour 4 personnes

1 petit poulpe (environ 400 g)
3 pommes de terre à chair jaune
1 oignon rouge
2 tomates
100 g de lentilles
3 cuillères d'huile d'olive extra-vierge
2 brins de romarin
1 piment rouge
150 g de céleri, carotte et oignon
Sel et poivre

Préparation : 20 minutes
Cuisson : 30 minutes
Niveau de difficulté : facile

1 Préparer un court-bouillon avec le céleri, la carotte et l'oignon coupés en morceaux, ajouter le piment entier, le romarin et, ensuite, y faire suer le poulpe. Faire cuire 30 minutes et laisser refroidir dans le liquide de cuisson.
2 Pendant ce temps, cuire les pommes de terre dans de l'eau salée. Émincer finement l'oignon rouge en rondelles.
3 Cuire les lentilles et les égoutter, *al dente*.
4 Couper le poulpe en morceaux et le griller 3 minutes, en le retournant régulièrement. Le réserver, couvert d'un film en plastique, pendant 5 minutes.
5 Peler les pommes de terre et les couper en morceaux.
6 Les disposer sur les assiettes, ajouter le poulpe, les lentilles, l'oignon en rondelles et les tomates coupées en dés ; assaisonner d'huile, de sel et de poivre.

Brochettes de calamars panés

Ingrédients pour 4 personnes

5 grands calamars (environ ½ kg)
150 g de chapelure
½ piment
5 cuillères d'huile d'olive extra-vierge
2 gousses d'ail
1 cuillère d'arachides salées
3 feuilles de sauge
Persil
Sel et poivre

Préparation : 15 minutes
Cuisson : 15 minutes
Niveau de difficulté : facile

1 Laver, nettoyer et couper les calamars en morceaux.
2 Dans une poêle, parfumer l'huile avec l'ail écrasé, la sauge et le piment entier. Ôter ces aromates et ajouter la chapelure en mélangeant bien.
3 Transvaser le tout dans une terrine et laisser refroidir.
4 Hacher finement le persil et les arachides, les ajouter à la chapelure et mélanger.
5 Paner les morceaux de calamar dans cette préparation et les enfiler sur des brochettes en bois.
6 Les mettre à griller assez éloignés des braises ou, s'ils sont cuits sur une plaque,
   à feu doux.
7 Servir, éventuellement accompagné d'une petite salade.

Sardines panées et grillées

Ingrédients pour 4 personnes

16 sardines
2 gousses d'ail
1 tranche de pain blanc
100 g de chapelure
1 cuillère de raisins secs
1 cuillère de pignons
3 cuillères d'huile d'olive extra-vierge
1 verre de vin blanc
Persil
Sel et poivre

Préparation : 15 minutes
Cuisson : 10 minutes
Niveau de difficulté : facile

1. Ouvrir les sardines en 2 sans détacher les filets, couper la tête et ôter l'arête centrale. Laver les sardines et les faire mariner dans le vin pendant 10 minutes.
2. Pendant ce temps, faire ramollir les raisins secs dans de l'eau tiède.
3. Chauffer une poêle anti-adhésive avec l'huile et l'ail écrasé. Ajouter les pignons, les faire griller, et incorporer ensuite les raisins secs avec un peu de leur eau. Ajouter le pain blanc émietté et un peu de chapelure. Parsemer de persil.
4. Farcir les sardines égouttées et séchées d'un peu de ce mélange et les enrouler sur elles-mêmes.
5. Les passer dans le reste de chapelure et les griller rapidement.
6. Servir aussitôt avec un filet d'huile nature et un peu de sel.

Brochette de pétoncles et jeunes courgettes

Ingrédients pour 4 personnes

20 pétoncles
10 tomates cerises
8 jeunes courgettes en fleur
1 cuillère de vinaigre balsamique
3 cuillères d'huile d'olive extra-vierge
½ citron
Sel et poivre

Préparation : 20 minutes
Cuisson : 15 minutes
Niveau de difficulté : facile

LES PÉTONCLES

Il en existe différentes espèces. Le pétoncle fait partie des mollusques les plus connus et les plus prisés, notamment pour son goût délicieux. On le trouve vivant sur les marchés ou déjà nettoyé et surgelé dans les magasins.

1 Laver les mollusques et les laisser mariner dans une cuillère d'huile d'olive extra-vierge, du sel, du poivre et un peu de jus de citron.
2 Laver les courgettes et en ôter les extrémités, tout en gardant les fleurs (sans le pétiole). Laver les tomates cerises et les couper en 2.
3 Enfiler les ingrédients, en les alternant, sur des brochettes en bois et les passer au barbecue, en les retournant régulièrement.
4 Saler, poivrer les légumes et servir sur les assiettes avec de l'huile nature et un filet de vinaigre balsamique.

Morue farcie et grillée

Ingrédients pour 4 personnes

1 filet de morue attendri (environ ½ kg)
2 pommes de terre à chair jaune
½ poivron rouge
2 cuillères de lait
4 feuilles de basilic
Persil
Sel et poivre

Préparation : 20 minutes
Cuisson : 30 minutes
Niveau de difficulté : facile

1 Faire griller le poivron, épépiné et coupé en 2. Avant de le peler, le laisser tiédir dans un sachet en plastique : cela permettra à la peau de se détacher beaucoup plus facilement.
2 Pendant ce temps, faire cuire les pommes de terre avec la peau dans de l'eau salée, froide au départ, et les égoutter lorsqu'elles sont tendres au centre. Les peler et les écraser à l'aide d'une fourchette dans une casserole.
3 Ajouter le lait et remettre sur le feu, aromatiser avec le persil, le basilic et ajouter le poivron coupé en dés. Laisser refroidir.
4 Ôter les arêtes du poisson et le couper en 8 rectangles identiques.
5 Étendre la purée sur 4 rectangles et recouvrir d'un second morceau de morue.
6 Griller chaque « sandwich », éloigné des braises, pendant 7 minutes de chaque côté et servir aussitôt.

Croquettes de cabillaud aux olives et au pesto

Ingrédients pour 4 personnes

Pour les croquettes

400 g de chair de cabillaud (ou 200 g de cabillaud et 200 g de morue)
1 œuf
2 tranches de pain de mie
100 ml de lait
150 g de chapelure
1 petit bouquet de basilic
1 cuillère de pignons
10 petites olives noires
6 cuillères d'huile d'olive extra-vierge
1 échalote
Sel et poivre

Pour garnir

Salade mixte

Préparation : 15 minutes
Cuisson : 20 minutes
Niveau de difficulté : facile

1 Émincer l'échalote et la faire suer dans une poêle avec l'huile, ajouter la chair de cabillaud sans les arêtes éventuelles et faire cuire en rectifiant avec du sel et du poivre.
2 Laisser ramollir le pain dans le lait, bien l'égoutter.
3 Mettre la mie de pain, le poisson, quelques olives, du poivre et l'œuf dans un robot ménager. Mixer le tout et ajouter, si nécessaire, un peu de chapelure pour lier l'ensemble.
4 Former des croquettes et les passer dans la chapelure. Les déposer sur la grille, assez éloignées des braises, et les faire cuire lentement en les retournant régulièrement.
5 Pendant ce temps, laver, essorer la salade et la disposer sur les assiettes.
6 Mixer le basilic avec les pignons, un peu de sel et l'huile jusqu'à l'obtention d'une sorte de *pesto* (sans fromage) et réserver.
7 Servir les croquettes sur un lit de salade, ajouter le reste des olives et assaisonner de *pesto*.

Saumon et bar mi-cuits

Ingrédients pour 4 personnes

250 g de filet de bar
250 g de filet de saumon
1 citron
4 cuillères d'huile d'olive extra-vierge
1 branche de thym citronné
1 petit oignon
Salade frisée
Sel et poivre

Préparation : 15 minutes
Cuisson : 5 minutes
Niveau de difficulté : facile

1 Ôter les arêtes et écailler les deux poissons, en ne gardant que la chair ; disposer sur un plat légèrement couvert de sel et d'huile.
2 Presser le citron et dissoudre un peu de sel dans la moitié du jus. Émulsionner avec l'huile et verser sur les poissons. Parfumer avec le petit oignon émincé et couvrir d'un film en plastique ; réserver au réfrigérateur pendant 20 minutes.
3 Égoutter les poissons et les couper en morceaux.
4 Laver et essorer la salade, l'émincer et la disposer sur les assiettes, l'assaisonner d'un peu de sel, d'huile et de jus de citron.
5 Griller les morceaux de poisson d'un seul côté, afin de les rendre croquants et fermes d'un côté, et tendres et juteux de l'autre.
6 Rectifier l'assaisonnement et servir sur un lit de salade.

Crevettes marinées à l'orange sur lit de salade croquante

Ingrédients pour 4 personnes

16 grosses crevettes (bouquets)
2 oranges
1 fenouil
2 carottes
3 cuillères d'huile d'olive extra-vierge
1 citron
Basilic
Sel et poivre

Préparation : 15 minutes
Cuisson : 10 minutes
Niveau de difficulté : facile

1 Presser 1 orange et le citron et y ajouter un peu de sel et poivre.
   Émulsionner avec un peu d'huile ; partager entre deux récipients,
   et réserver.
2 Inciser les crevettes sur le dos et les décortiquer partiellement en
   conservant la tête et la queue. Les faire mariner pendant 20 minutes
   dans l'un des récipients de citronnette à l'orange.
3 Peler à vif la seconde orange, en extraire la pulpe, la couper en quartiers.
4 Couper finement le fenouil et les carottes, puis les conserver dans de
   l'eau glacée.
5 Faire griller les bouquets. Les disposer sur un lit de légumes égouttés,
   séchés et assaisonnés du reste de citronnette.
6 Ajouter les quartiers d'orange, le basilic, un peu d'huile, et servir.

Timbales de courgettes et d'écrevisses au sésame

Ingrédients pour 4 personnes

5 courgettes
20 écrevisses
2 cuillères de graines de sésame
4 cuillères d'huile d'olive extra-vierge
1 œuf
1 échalote
1 cuillère rase de fécule
Sel et poivre

Préparation : 15 minutes
Cuisson : 20 minutes
Niveau de difficulté : facile

1 Émincer l'échalote et la faire suer dans une poêle avec l'huile ; ajouter les courgettes (en réserver 2) lavées, sans les extrémités et coupées en rondelles. Saler, poivrer et cuire pendant 5-6 minutes, ensuite passer au mixer avec l'œuf et la fécule.

2 Faire griller les 2 autres courgettes coupées en fines tranches et en foncer 4 petits moules (ou un moule rectangulaire pour 4 personnes).

3 Verser l'appareil dans les moules et cuire au four à 180° pendant 20 minutes.

4 Pendant ce temps, décortiquer les écrevisses, en conservant la tête, et les passer dans le sésame. Les griller rapidement et les servir accompagnées des timbales, en assaisonnant d'un peu d'huile, de sel et de poivre.

Pétoncles aux endives et pamplemousse

Ingrédients pour 4 personnes

400 g de pétoncles
2 endives (chicons)
8 quartiers de pamplemousse
50 g de sucre
25 ml d'eau
25 ml de vinaigre de framboises
125 ml de muscat rosé
Cerfeuil

Préparation : 30 minutes
Cuisson : 20 minutes
Niveau de difficulté : facile

1 Caraméliser le sucre dans un peu d'eau, ensuite diluer avec le vinaigre de framboises et faire réduire. Ajouter le muscat et mélanger jusqu'à obtention d'un sirop. Laisser refroidir.
2 Nettoyer et couper les endives, les blanchir rapidement et les placer ensuite sur chaque assiette.
3 Faire griller les pétoncles, les placer sur les endives et disposer deux quartiers de pamplemousse sur les côtés, pour chaque assiette. Arroser du sirop de muscat et parsemer de cerfeuil.

Une curiosité : le vinaigre de framboises est réalisé à partir de fruits parvenus à pleine maturation (donc cueillis en été). Les framboises fermentent naturellement et donnent un vinaigre très parfumé, rouge vif.

Filets de saumon grillé à l'aubergine et au poireau

Ingrédients pour 4 personnes

4 filets de saumon (150 g chacun)
1 poireau
6 cuillères d'huile d'olive extra-vierge
1 aubergine
Thym
Sel et poivre

Préparation : 20 minutes
Cuisson : 25 minutes
Niveau de difficulté : facile

1 Laisser mariner 10 minutes les filets de saumon dans l'huile d'olive extra-vierge, additionnée de quelques branches de thym.
2 Entre-temps, couper le poireau en rondelles et le faire revenir douce-ment dans une petite casserole, avec un peu d'huile d'olive extra-vierge.
3 Couper l'aubergine en dés et la faire sauter dans une poêle anti-adhésive avec un filet d'huile, un peu de sel et de poivre.
4 Sur la grille, mettre à rôtir les filets de saumon pendant 2 minutes de chaque côté, en prenant soin de les faire cuire d'abord du côté des écailles.
5 Rectifier l'assaisonnement et servir le saumon accompagné des rondel-les de poireau et des dés d'aubergine croquante.

Glossaire

Appareil

Mélange de plusieurs ingrédients destinés à garnir un moule ou une pâte.

Asiago

Fromage fermier au lait de vache et à pâte dure fabriqué sur le plateau qui porte son nom.

Bouquets

Grosses crevettes roses dont la taille varie selon les régions du monde.

Câprons

Le câprier (*Capparis spinosa*) est connu pour la consommation qui est faite, sous le nom de « câpres », de ses boutons floraux confits dans du vinaigre salé. Mais on sait moins que cette plante produit également des fruits comestibles appelés « câprons », lorsqu'on laisse s'épanouir les boutons floraux...

Ébouillanter

Opération qui consiste à immerger un aliment cru dans de l'eau bouillante, pas nécessairement salée, parfois additionnée de vinaigre, afin d'effectuer une première cuisson ou pour le peler plus facilement. On « blanchit » également pour diminuer le goût âcre de certains aliments, pour réduire le volume de beaucoup de légumes, ou pour amollir leur consistance. Les temps d'ébouillantage varient selon les recettes.

Feta

Fromage qui, à l'origine, était produit en Grèce. Autrefois, il était préparé à base de lait de chèvre, de brebis ou des deux, mais, aujourd'hui, la *feta* la plus commune est à base de lait de vache. Elle s'affine pendant 30 jours, et c'est de là que provient son goût typique : fort, acide et salé. Elle accompagne les fraîches salades d'été.

Foncer

Garnir le fond d'un moule avec des abaisses de pâte ou d'autres produits.

Julienne

Technique de découpe manuelle qui consiste à tailler, à l'aide d'un couteau ou d'une râpe perforée, des légumes en très fins bâtonnets de 2-3 cm de longueur et de 1-2 mm d'épaisseur.

Marinade

La marinade possède une fonction de conservation et elle contribue, par la même occasion, à attendrir la viande. Dans certains cas (surtout pour le gibier), elle contribue à éliminer l'odeur. On peut préparer des marinades à base de vin blanc ou rouge, de vinaigre et d'huile, en ajoutant des légumes et des senteurs, comme par exemple des oignons, des carottes, des échalotes, du laurier, du thym, des baies de genévrier, des clous de girofle et du poivre noir. Le poisson est en général mariné dans du vin blanc avec du vinaigre et des légumes aromatiques. On peut faire mariner le poisson frit, avec des préparations aux épices ou en matelote, ou le poisson frais, en utilisant par exemple une base de jus de citron et de vinaigre.

Mozzarella fior di latte
Type de *mozzarella* célèbre pour sa douceur et son goût naturel ; elle est faite du lait des vaches qui paissent dans les des verts pâturages d'Italie. L'autre type de *mozzarella* connue est la mozzarelle *bufflonne*.

Noix de cajou
Amandes de l'anacardier, un grand arbre originaire du Brésil et qui appartient à la même famille que le pistachier. Les fruits sont formés d'un pédoncule grossi qui soutient le vrai fruit, une noix brune et coriace. Ce sont ces noix qui contiennent les amandes blanchâtres que l'on consomme grillées et salées.

Paré à la française
Un morceau ainsi préparé présente l'extrémité de l'os nettoyée de toute viande.

Pecorino
Un fromage de brebis, sec, salé et piquant.

Provola
Fromage presque dur à pâte filée, produit avec du lait de vache cru, entier, enrichi avec de la présure. Il a généralement la forme d'une miche de pain et est soutenu par des cordes en jonc qui forment des quartiers. La croûte, luisante et lisse, est de couleur jaune paille dans la *provola bianche*, et ambre dans la *provola* fumée. La pâte est ivoire et compacte. Elle a une odeur délicate et un goût doux quand elle est fraîche ; elle devient piquante et forte en vieillissant.

Salpicon
Technique consistant à couper les légumes en petits dés de 5-7 mm de côté. Si les dés sont plus petits, dans ce cas on parle de « brunoise » et s'ils sont plus grands, on dit alors « couper en dés ».

Tabasco
Sauce, plus ou moins liquide, à base de piment piquant, de vinaigre, de sel, de sucre et d'épices. On en utilise quelques gouttes pour aromatiser les plats et mets, ou dans la préparation de certains cocktails.

Index

table de conversions

mesures

Toutes les mesures données ici (tasses ou cuillères) sont des moyennes : on prendra en compte qu'une tasse contient environ 200 ml, une cuillère à soupe 15 ml et une cuillère à café 5 ml.
La différence de capacités entre les pays est de l'ordre de l'équivalent de deux à trois cuillères à café.
Les œufs à utiliser seront gros et pèseront approximativement 60 g.
Sauf indication contraire, les fruits et légumes seront de taille moyenne et les herbes fraîches.
Toutes les températures sont données en degrés centigrades.

TAILLES

Système métrique	Système impérial
3 mm	⅛ in
6 mm	¼ in
1 cm	½ in
2 cm	¾ in
2.5 cm	1 in
5 cm	2 in
6 cm	2½ in
8 cm	3 in
10 cm	4 in
13 cm	5 in
15 cm	6 in
18 cm	7 in
20 cm	8 in
23 cm	9 in
25 cm	10 in
28 cm	11 in
30 cm	12 in (1ft)

MESURES DES LIQUIDES

Système métrique	Système impérial
30 ml	1 fluid oz
60 ml	2 fluid oz
100 ml	3 fluid oz
125 ml	4 fluid oz
150 ml	5 fluid oz (¼ pint/1 gill)
190 ml	6 fluid oz
250 ml	8 fluid oz
300 ml	10 fluid oz (½ pint)
500 ml	16 fluid oz
600 ml	20 fluid oz (1 pint)
1000 ml (1 litre)	1¾ pints

POIDS

Système métrique	Système impérial
15 g	½ oz
30 g	1 oz
60 g	2 oz
90 g	3 oz
125 g	4 oz (¼lb)
155 g	5 oz
185 g	6 oz
220 g	7 oz
250 g	8 oz (½lb)
280 g	9 oz
315 g	10 oz
345 g	11 oz
375 g	12 oz (¾lb)
410 g	13 oz
440 g	14 oz
470 g	15 oz
500 g	16 oz (1lb)
750 g	24 oz (1½lb)
1 kg	32 oz (2lb)

TEMPÉRATURES DU FOUR

Ces températures sont données à titre indicatif. Vérifiez toujours le mode d'emploi de votre four.

	°C (Celsius)	°F (Fahrenheit)	N° pour le gaz
Feu très doux	120	250	½
Feu doux	140-150	275-300	1-2
Feu doux à modéré	170	325	3
Feu modéré ou moyen	180-190	350-375	4-5
Feu moyen à chaud	200	400	6
Feu chaud	220-230	425-450	7-8
Feu très chaud	240	475	9